5CP

Gruffudd ELidir
Owen
Llys Ifor Garndolb
enmaen, Gwynedd
CYMRU

BEN Y GARDDWR

a storïau eraill

G. Owen

Golygydd: Gareth Davies Jones

BEN Y GARDDWR
a storïau eraill

MARY VAUGHAN JONES

Lluniau gan Jac Jones

Cymdeithas Lyfrau Ceredigion Gyf.

Diolch i Mrs. Jennifer Eynon am arbrofi nifer o storïau'r awdures gyda phlant ysgol, a thrwy hynny, gynnig arweiniad ar ba rai i'w cynnwys yn y gyfrol hon.

Golygydd

BEN Y GARDDWR

Garddwr ydy Ben ac mae o'n gweithio mewn gardd fawr. Mae llawer o waith i'w wneud yn yr ardd fawr.

Un diwrnod, roedd Ben yn cario tatws o waelod yr ardd ar hyd y llwybr hir i'r sied. Dyma fo'n codi llond ei freichiau o datws a dechrau cerdded ar hyd y llwybr. Ond mae'n anodd iawn cario llawer o datws yn eich breichiau, a dyma'r tatws yn syrthio i lawr yn bendramwnwgl. Triodd Ben eu codi, ac wrth wneud hynny roedd o'n pesychu ac yn cwyno, yn cwyno ac yn pesychu.

'Rhaid i mi drwsio'r ferfa fory,' meddai Ben.

Roedd gan Ben ferfa ond roedd hi wedi torri. Roedd twll yn ei gwaelod ac roedd angen olwyn newydd arni.
'Rhaid i mi drwsio'r ferfa fory,' meddai Ben, gan ddal i drio codi'r tatws a'u cario i'r sied, ychydig ar y tro.

Ond pan ddaeth y diwrnod wedyn, wnaeth Ben ddim trwsio'r ferfa. Roedd o wrthi'n brysur yn symud potiau blodau o'r tŷ gwydr i'r lori er mwyn mynd â nhw i'r farchnad i'w gwerthu.
Mi gododd Ben lond ei freichiau o'r potiau blodau a dechreuodd gerdded ar hyd y llwybr at y lori. Ond mae'n anodd iawn cario llawer o botiau blodau yn eich breichiau, a dyma'r potiau blodau'n syrthio i lawr yn bendramwnwgl, a Ben yn pesychu ac yn cwyno ac yn cwyno ac yn pesychu wrth drio eu codi a'u cario i'r lori, ychydig ar y tro.
'Rhaid i mi drwsio'r ferfa fory,' meddai Ben.

Ond pan ddaeth y diwrnod wedyn, wnaeth Ben ddim trwsio'r ferfa. Roedd o'n brysur iawn yn cario polion i wneud ffens newydd yng nghornel yr ardd.

Mi gododd Ben lond ei freichiau o bolion a dechrau eu cario ar draws y lawnt. Ond mae'n anodd iawn cario llawer o bolion yn eich breichiau, a dyma'r polion yn syrthio i lawr yn bendramwnwgl, a Ben yn pesychu ac yn cwyno ac yn cwyno ac yn pesychu wrth drio eu codi a'u cario i gornel yr ardd, ychydig ar y tro.

'Rhaid i mi drwsio'r ferfa fory,' meddai Ben.

Ond pan ddaeth y diwrnod wedyn, wnaeth Ben ddim trwsio'r ferfa.

Roedd o'n brysur iawn yn cario dail o'r berllan i'r domen yr ochr arall i'r wal.

Mi gododd Ben lond ei freichiau o'r dail a dechreuodd gerdded o dan y coed afalau. Ond mae'n anodd iawn cario pentwr mawr o ddail yn eich breichiau, a dyma'r dail yn syrthio yn bendramwnwgl, a'r gwynt yn eu chwythu i bob man, a Ben yn pesychu ac yn cwyno ac yn cwyno ac yn pesychu wrth drio codi'r dail.

Ond roedd y gwynt yn chwythu'n gryf, ac wrth drio codi'r dail, mi syrthiodd Ben hefyd yn bendramwnwgl i'w canol.

A dyna lle'r oedd o, ar lawr yng nghanol y dail, yn pesychu ac yn cwyno, a'r gwynt yn chwythu'r dail o'i gwmpas i bob man.

'Rhaid i mi drwsio'r ferfa fory,' meddai Ben.

Wedyn, dyma fo'n neidio i fyny'n sydyn ac yn dweud, 'Na, rhaid i mi drwsio'r ferfa heddiw.'

Ac mi aeth Ben yn syth i drwsio'r ferfa. Mi drwsiodd y twll yn ei gwaelod ac mi osododd olwyn newydd yn lle'r hen un oedd wedi torri.

A byth er hynny, mae Ben yn gweithio'n hapus bob dydd.

Dydy o byth yn pesychu nac yn cwyno wrth gario pethau, ond mae o'n mwmian canu'n braf wrth wthio'r ferfa ar hyd llwybrau'r ardd fawr.

INJAN Y TRÊN BACH

Un tro yr oedd yna injan fach a phawb wedi anghofio amdani hi. Roedd hi wedi cael ei gadael mewn hen sied wrth ochr y llyn ac wedi bod yno am amser hir iawn.

Roedd tyllau yn nho'r hen sied ac roedd y glaw'n disgyn ar yr injan fach. Roedd tyllau yn waliau'r hen sied hefyd ac roedd y gwynt yn chwythu o gwmpas olwynion yr injan.

Pan fyddai'r gwynt yn oer ac yn chwythu i bob man, mi fyddai'r bobl i gyd i mewn yn y tŷ yn braf. Doedd neb yn cofio am yr injan fach druan yn yr hen sied wrth ochr y llyn.

Pan fyddai hi'n bwrw glaw'n drwm a'r dŵr yn llifo i bob man, mi fyddai'r bobl yn eu gwaith neu yn eu ceir yn ddiddos braf. Doedd neb yn cofio am yr injan fach druan yn yr hen sied wrth ochr y llyn.

A phan fyddai'r nos wedi dod a phob man yn dywyll, dywyll, ac yn ddistaw, ddistaw, roedd y bobl i gyd yn cysgu'n braf yn eu gwelyau. Doedd neb yn cofio am yr injan fach druan yn yr hen sied wrth ochr y llyn, ac roedd yr injan fach yn mynd yn fwy a mwy trist o hyd, ar ei phen ei hun yn yr hen sied.

Ond un diwrnod, dyma'r injan yn clywed sŵn siarad y tu allan i'r sied, a rhyw ddynion yn dod i mewn. Mi fu'r dynion yn edrych ar yr injan am amser hir, yn cerdded o'i chwmpas, yn edrych y tu mewn iddi ac ar ei holwynion. Yna, aethon nhw i ffwrdd.

Ond y diwrnod wedyn, mi ddaethon nhw'n ôl, a dechrau glanhau'r injan a'i thrwsio.

Roedd yr injan fach yn teimlo'n hapus dros ben.

Bob dydd roedd y dynion yn dod i lanhau a thrwsio'r injan. Roedden nhw'n trwsio'r sied hefyd, ac felly doedd y glaw ddim yn dod i mewn, a doedd y gwynt, chwaith, ddim yn chwythu o gwmpas olwynion yr injan fach.

Un diwrnod, ar ôl iddyn nhw orffen glanhau a thrwsio'r injan, dyma'r dynion yn ei pheintio'n dlws. Ar ôl i'r paent sychu, dyma nhw'n rhoi glo yn y bocs tân a dŵr yn y tanc y tu mewn i'r injan. Roedd yr injan yn falch iawn o gael glo a dŵr.

Y diwrnod wedyn roedd yr haul yn tywynnu'n braf ac mi ddaeth dau o'r dynion at yr injan i drio'i chychwyn. Mi driodd yr injan ei gorau glas i gychwyn. Mi losgodd y glo'n dda ac mi ferwodd y dŵr, nes o'r diwedd daeth mwg allan o'r corn a dechreuodd yr injan wneud sŵn hapus,

pwff, pwff, pwff,
pwff, pwff, pwff.

Wedyn, mi ollyngodd stêm,

s-s-s-s-s-s-s-s-s-s-s-s-s

ac, yn wir i chi, dyma'r injan yn symud ar hyd y lein fach oedd yn y sied, ac allan â hi trwy'r drysau mawr.

Wel, dyna syndod gafodd yr injan ar ôl mynd allan. Roedd y dynion wedi gwneud gorsaf newydd, ac ar y lein wrth ochr yr orsaf roedd yna gerbydau, a lle ynddyn nhw i bobl a phlant eistedd. Mi ddeallodd yr injan fach ei bod hi'n mynd i gael tynnu'r cerbydau ar hyd y lein.

Mi fachodd y dynion y cerbydau wrth yr injan ac i ffwrdd â hi ar hyd y lein fach o un pen i'r llyn i'r llall.

A byth er hynny dyna ydy gwaith yr injan. Mae hi'n brysur iawn yn cario pobl a phlant ar hyd y lein fach wrth ochr y llyn.

Cyn cychwyn o'r orsaf, mi fydd hi'n gollwng stêm ac yn gwneud sŵn pwysig,

s-s-s-s-s-s-s-s

Wedyn, mi fydd hi'n dechrau pwffian yn gryf,

pwff, pwff, pwff,
pwff, pwff, pwff,
pwff-pwff, pwff-pwff, pwff-pwff,
pwff.

Wrth fynd yn braf ar hyd y lein wrth ochr y llyn, mi fydd mwg yn dod allan o'i chorn a hithau'n pwffian yn brysur,

pwffian, pwffian, pwff-pwff,
pwffian, pwffian, pwff-pwff,
pwffian, pwffian, pwff-pwff.

Bob nos mi fydd y dynion yn ei rhoi i mewn yn y sied a dydy'r injan fach byth yn drist erbyn hyn. Mae hi'n sych ac yn gynnes ac yn edrych ymlaen at y diwrnod wedyn, er mwyn iddi gael mynd â rhagor o bobl a phlant am dro ar hyd y lein fach wrth ochr y llyn.

HUWCYN JO

Mae Huwcyn Jo yn ddyn bach caredig iawn ond mae o'n meddwl ei fod o'n gwybod pob peth.

Ond mae llawer o bethau nad ydy Huwcyn Jo ddim yn eu gwybod. Dydy o ddim yn gwybod pob peth.

Un diwrnod dyma Huwcyn Jo yn dweud, 'Rydw i am brynu pysgodyn i fyw gyda mi yn y tŷ.'

Felly, dyma Huwcyn Jo yn cerdded ar hyd y stryd ac yn mynd i mewn i'r siop a gofyn, 'Gaf i brynu pysgodyn, os gwelwch yn dda?'

'Cewch siŵr,' meddai dyn y siop. 'Dowch i'r ystafell y tu ôl i'r siop i weld y pysgod sy gen i.'

‘Ond rydw i’n gwybod sut bysgodyn sydd arna i ei eisiau,’ meddai Huwcyn Jo, ‘pysgodyn mawr, tew, trwm fel y rhai sy’n byw ymhell yng nghanol y môr dwfn.’

‘Ond mae pysgodyn felly’n rhy fawr ac yn rhy dew ac yn rhy drwm i fyw mewn tŷ,’ meddai dyn y siop. ‘Dim ond ymhell yng nghanol y môr dwfn y medr pysgodyn felly fyw.’

A dyma’r dyn yn trio dweud wrth Huwcyn Jo sut bysgodyn i’w brynu, ond doedd Huwcyn Jo ddim yn gwrando arno.

‘Mae popeth yn iawn, diolch,’ meddai Huwcyn Jo. ‘Rydw i’n gwybod popeth am bysgod. Mi af i allan i feddwl sut bysgodyn i’w brynu ac mi ddof i’n ôl i’r siop eto.’

Mi aeth Huwcyn Jo am dro ar hyd y stryd ac wedyn mi aeth i mewn i'r caffi i gael te a phastai gig. Dyma fo'n eistedd wrth y bwrdd yn meddwl ac yn meddwl sut bysgodyn i'w brynu.

Yna, mi aeth Huwcyn Jo yn ôl i'r siop a gofyn, 'Gaf i brynu pysgodyn, os gwelwch yn dda?'

'Cewch siŵr,' meddai dyn y siop. 'Dowch i'r ystafell y tu ôl i'r siop i weld y pysgod.'

'Ond rydw i'n gwybod sut bysgodyn sydd arna i ei eisiau,' meddai Huwcyn Jo, 'pysgodyn fflat a'i gefn o'n llwyd a'i fol o'n wyn, fel y rhai sy'n byw yn yr afon lydan.'

'Ond dim ond yn yr afon lydan y medr pysgodyn felly fyw,' meddai'r dyn. 'Fedr o ddim byw mewn tŷ.'

A dyma'r dyn yn trio dweud wrth Huwcyn Jo sut bysgodyn i'w brynu, ond doedd Huwcyn Jo ddim yn gwrando arno.

'Mae popeth yn iawn, diolch,' meddai Huwcyn Jo. 'Rydw i'n gwybod popeth am bysgod. Mi af i allan i feddwl sut bysgodyn i'w brynu ac mi ddof i'n ôl i'r siop eto.'

Mi aeth Huwcyn Jo am dro unwaith eto, ac mi aeth i gaffi arall i gael te a tharten gwstard. Dyma fo'n eistedd wrth y bwrdd ac yn meddwl ac yn meddwl sut bysgodyn i'w brynu.

Yna, mi aeth Huwcyn Jo yn ôl i'r siop a gofyn, 'Gaf i brynu pysgodyn, os gwelwch yn dda?'

'Cewch siŵr,' meddai dyn y siop. 'Dowch i'r ystafell y tu ôl i'r siop i weld y pysgod.'

'Ond rydw i'n gwybod sut bysgodyn sydd arna i ei eisiau,' meddai Huwcyn Jo, 'pysgodyn llwyd fel y rhai sy'n byw mewn llyn yn y mynydd. Maen nhw'n sgleinio ac yn neidio i fyny o'r llyn ambell waith i ddal pryfed uwchben y dŵr.'

'Ond dim ond mewn llyn yn y mynydd y medr pysgodyn felly fyw,' meddai'r dyn. 'Fedr o ddim byw mewn tŷ.'

'Fedra i ddim cael pysgodyn mawr, tew, trwm o ganol y môr,' meddai Huwcyn Jo. 'Fedra i ddim cael pysgodyn fflat o'r afon lydan. Fedra i ddim cael pysgodyn sy'n neidio i fyny o'r llyn i ddal pryfed. Sut bysgodyn medra i ei gael?'

Dywedodd y dyn wrth Huwcyn Jo sut bysgodyn i'w brynu, a'r tro yma dyma Huwcyn Jo yn gwrando arno.

'Pysgodyn bach lliw aur ydy'r gorau i chi,' meddai'r dyn. 'Dowch i'r ystafell y tu ôl i'r siop i weld y pysgod.'

A'r tro yma mi aeth Huwcyn Jo gyda'r dyn i'r ystafell y tu ôl i'r siop, a dyna lle'r oedd llawer o danciau gwydr yn llawn o ddŵr, a physgod aur yn nofio yn y dŵr.

Roedd Huwcyn Jo wedi dotio at y pysgod aur. Doedd o ddim yn gwybod dim byd am bysgod aur o'r blaen.

Dydy Huwcyn Jo ddim yn gwybod pob peth.

'Diolch yn fawr i chi am fy helpu,' meddai Huwcyn Jo wrth ddyn y siop. 'Rydw i am brynu dau bysgodyn aur.'

Felly, dyma Huwcyn Jo yn prynu dau bysgodyn aur, tanc gwydr a bocs bach yn llawn o fwyd i'r pysgod.

Mi roddodd dyn y siop y ddau bysgodyn mewn bag plastig a dŵr ynddo fo, ac mi gariodd Huwcyn Jo y cyfan adref yn ofalus.

Ac erbyn hyn mae'r ddau bysgodyn aur yn byw yn hapus iawn yn y tanc gwydr yn nhŷ Huwcyn Jo, ac mae Huwcyn Jo yn hapus iawn hefyd wrth edrych arnyn nhw'n nofio yn y dŵr.

ADEILADU TŶ

Un waith yr oedd yna dri dyn yn mynd i adeiladu tŷ bob un.
Roedd un o'r dynion yn fawr a'i enw fo oedd Sami Mawr.
Roedd un o'r dynion yn fach a'i enw fo oedd Sami Bach.
Doedd y dyn arall ddim yn fawr nac yn fach a'i enw fo oedd Sami Canol.
Roedd Sami Mawr a Sami Canol a Sami Bach yn mynd i adeiladu tŷ bob un ar ochr y bryn y tu draw i'r dre.

Mi weithiodd y tri'n galed iawn ddiwrnod ar ôl diwrnod a diwrnod ar ôl diwrnod. Roedd Sami Mawr yn hapus iawn yn adeiladu tŷ iddo'i hun—yn cario brics, yn gosod brics, yn cymysgu sment ac yn llifio pren i adeiladu tŷ.

Ac roedd Sami Mawr yn dweud, 'Rydw i am frysio er mwyn i mi gael bod yn gyntaf yn gorffen fy nhŷ.'

Roedd Sami Canol yn hapus iawn hefyd yn cario brics, yn gosod brics, yn cymysgu sment ac yn llifio pren i adeiladu tŷ.

Ac roedd Sami Canol hefyd yn dweud, 'Rydw i am frysio er mwyn i mi gael bod yn gyntaf yn gorffen fy nhŷ.'

Roedd Sami Bach yn hapus iawn hefyd yn cario brics, yn gosod brics, yn cymysgu sment ac yn llifio pren i adeiladu tŷ.

Ac roedd Sami Bach hefyd yn dweud, 'Rydw i am frysio er mwyn i mi gael bod yn gyntaf yn gorffen fy nhŷ.'

A dyna lle bu'r tri yn gweithio'n galed ddiwrnod ar ôl diwrnod a diwrnod ar ôl diwrnod i adeiladu tŷ bob un ar ochr y bryn y tu draw i'r dre.

O'r diwedd dyma'r diwrnod yn dod pan oedd tŷ Sami Mawr yn barod, ac yn union yr un amser roedd tŷ Sami Canol yn barod, ac yn union yr un amser roedd tŷ Sami Bach hefyd yn barod.

Roedd Sami Mawr a Sami Canol a Sami Bach wedi gorffen eu tai yr un pryd â'i gilydd. Doedd dim un ohonyn nhw wedi dod yn gyntaf.

Dyma'r tri yn chwerthin yn braf ac mi aeth Sami Canol a Sami Bach i weld tŷ Sami Mawr.

'Dyma dŷ da,' meddai Sami Canol.
'Mae'n dŷ da iawn,' meddai Sami Bach, 'ond ble mae'r ffenestri?'
Ac yn wir i chi, wrth frysio cymaint i drio bod yn gyntaf yn gorffen ei dŷ roedd Sami Mawr wedi anghofio rhoi ffenestri ynddo.
Roedd Sami Mawr mor siomedig ac yn teimlo'n drist iawn.
Wedyn mi aeth Sami Mawr a Sami Bach i weld tŷ Sami Canol.

'Dyma dŷ da,' meddai Sami Bach.

'Mae'n dŷ da iawn,' meddai Sami Mawr, 'ond ble mae'r drws?'

Ac yn wir i chi, wrth frysio cymaint i drio bod yn gyntaf yn gorffen ei dŷ roedd Sami Canol wedi anghofio rhoi drws ynddo.

Roedd Sami Canol hefyd yn siomedig iawn ac yn teimlo'n drist.

Wedyn dyma Sami Mawr a Sami Canol yn mynd i weld tŷ Sami Bach.

'Dyma dŷ da,' meddai Sami Mawr, 'ac mi rwyt ti wedi cofio rhoi ffenestri yn y tŷ.'

'Mae'n dŷ da iawn,' meddai Sami Canol, 'ac mi rwyt ti wedi cofio rhoi drws hefyd yn y tŷ.'

'Dowch i mewn trwy'r drws,' meddai Sami Bach, ac i mewn â nhw.

'Mae'n dŷ da iawn y tu mewn hefyd,' meddai Sami Mawr.

'Ydy wir,' meddai Sami Canol, 'ond ble mae'r ystafelloedd gwely?'

'I fyny, wrth gwrs,' meddai Sami Bach.

'Ond ble mae'r grisiau?'

Ac yn wir i chi, wrth frysio i drio bod yn gyntaf yn gorffen ei dŷ roedd Sami Bach wedi anghofio rhoi grisiau ynddo.

Ond yn lle teimlo'n drist, dyma Sami Bach yn dechrau chwerthin. Wrth weld Sami Bach yn chwerthin dyma Sami Mawr a Sami Canol yn chwerthin hefyd a dyna lle'r oedd y tri ohonyn nhw'n chwerthin a chwerthin.

Y bore wedyn mi aeth y tri yn ôl i weithio ar eu tai.

Ddiwrnod ar ôl diwrnod a diwrnod ar ôl diwrnod mi fu'r tri'n gweithio'n galed. Sami Mawr yn gwneud ffenestri i'w dŷ, Sami Canol yn gwneud drws i'w dŷ a Sami Bach yn gwneud grisiau i'w dŷ.

O'r diwedd, dyma bob un yn gorffen ei dŷ ac yn dechrau byw'n hapus yno yn union yr un diwrnod.

Ac erbyn hyn mae gan bob un wraig a phlant yn byw gydag ef yn y tŷ.

Mae gan Sami Mawr dri o blant.

Mae gan Sami Canol ddau o blant.

Ac mae gan Sami Bach un babi bach tlws, sy'n gorwedd yn y pram bob pnawn, o flaen y tŷ newydd ar ochr y bryn y tu draw i'r dre.

ⓗ y darluniau: Jac Jones 1988 ⓒ

ⓗ y testun: Mary Vaughan Jones ⓒ

Cedwir pob hawl.

Ymddangosodd y storïau hyn am y tro cyntaf mewn casgliad o storïau Mary Vaughan Jones, *Deg Stori,* a gyhoeddwyd gan y Mudiad Ysgolion Meithrin yn 1976.

Argraffiad cyntaf y cyhoeddiad hwn: 1988
Ail argraffiad: 1993

Dymuna'r cyhoeddwr gydnabod cymorth Adrannau'r Cyngor Llyfrau Cymraeg.

Argraffwyd gan Argraffwyr Cambrian, Aberystwyth.
Cyhoeddwyd gan Gymdeithas Lyfrau Ceredigion Gyf., Aberystwyth, Dyfed.

Cyhoeddir y gyfrol hon dan gynllun comisiynu'r Cyngor Llyfrau Cymraeg.

Cedwir pob hawl. Ni chaniateir atgynhyrchu unrhyw ran o'r cyhoeddiad hwn na'i storio na'i ddarlledu, trwy unrhyw ddull neu fodd, trydanol, mecanyddol, nac fel arall, heb ganiatâd ymlaen llaw oddi wrth y cyhoeddwr.

ISBN: 0 948930 30 6